D0553095

Collection KholekTh

Contes et nouvelles étranges et fantastiques : un livre, un auteur.

Du même auteur, on peut lire également :

Escales (Encres vives, 2008).
À pas perdus (Encres vives, 2008).
Khôl et encre de Chine (Encres vives, 2009).

ISBN 978-2-908254-93-8.
Collection KholekTh n° 11. ISSN 1962-6142.
Dépôt légal octobre 2011.

Conception et mise en pages : Philippe Gindre.
Relecture : Nicolas Soffray.

La Clef d'Argent, 9 rue du Stade, 39110 Aiglepierre, France.
www.clef-argent.org

Collection KholekTh

Dans le désert et sous la lune

variations nocturnes

Patrice Dupuis

La Clef d'Argent

Pour Alice et Zora
(de A à Z quelques lettres s'effeuillent
comme le M de Marina).

Mundus est fabula

(Prologue)

Depuis des millénaires, dès que sorties de l'œuf, les nuits d'été tropical, les tortues de mer se précipitent vers l'océan; certes parce que l'instinct leur commande de rejoindre leur élément, mais surtout parce que le scintillement de la mer sous la lune constitue un guide aussi sûr que l'étoile polaire au marin – avec cette différence que le marin cherche le port, un phare dans la nuit, un fanal, alors que la tortue est en quête du vaste océan...

De nos jours cependant, il advient que les tortues marines se laissent abuser par les mirages de notre civilisation. Les villes côtières, en effet, *flambant de l'électricité**, plus brillantes et plus lumineuses que la mer, leur sont un repère contrefait... De quel côté se diriger ? À l'est ? À l'ouest ? Comment savoir ?... Elles hésitent... Puis finalement, elles prennent le chemin de la cité des hommes – le chemin exactement opposé à celui qu'ont tracé, génération après génération, leurs ancêtres tortues... Aussi n'est-il pas rare de les retrouver mortes d'épuisement, au tout petit matin, échouées sur le bord d'un trottoir comme sur un récif, dans un caniveau sablonneux ou dans une mare insipide – parce qu'elles avaient cru que de la mer seulement surgissait la lumière...

---

* Guillaume Apollinaire.

Quand le train s'arrête

« Voyageur, voyageur, accepte le retour,
Il n'est plus place en toi pour de nouveaux visages. »

Jules Supervielle.

« Mais vous possédez l'avantage,
Sous la palme au fracas du train,
D'imaginer d'autres voyages
Qui vous mènent beaucoup plus loin. »

Jules Supervielle.

Passant de wagon en wagon, arpentant l'une après l'autre les allées encombrées de bagages, elle parcourt des yeux l'espace confiné à la recherche d'une place vide. Comme à l'accoutumée, le train est bondé. Elle suffoque sous l'effet de la chaleur, sous le poids de son sac à dos, sous le poids de son ventre qu'elle pousse devant elle en le soutenant à deux mains.

Du coin de l'œil, elle aperçoit un homme enturbanné qui agite son bras dans l'air comme pour éventer l'atmosphère étouffante, éparpiller la chaleur pour la rendre moins dense. Il semble lui faire signe. Ou peut-être non. Elle le remarque à peine et passe son chemin sans se retourner.

Une main saisissant brusquement la sienne la fait sursauter, la force à ralentir. Elle se retourne, lève le bras pour se dégager. Un enfant s'accroche à elle, la tire en arrière, pour lui faire rebrousser chemin. Il fait de grands gestes de son bras en lui montrant le fond du wagon. Il parle très fort, comme si le fait de parler haut allait la convaincre davantage de le suivre. Elle ne comprend pas ce qu'il dit, elle ne veut pas aller où il l'entraîne. Elle veut trouver une place assise. Elle se débat. L'enfant se met presque à crier en tirant plus fort sur son bras. Tous les regards convergent vers eux. On dirait que le bruit autour d'elle s'est comme suspendu, que le mouvement des voyageurs s'est lui-même ralenti. Elle se sent terriblement gênée... Épuisée, lassée, elle finit par céder devant l'insistance de l'enfant. Il l'emmène à contre-courant du flux des voyageurs qui, comme elle, cherchent un endroit où s'asseoir – et à contre-courant de la marche du train. Elle suit l'enfant, la main posée sur son épaule, comme Œdipe suivant Antigone.

L'enfant s'assoit à côté de l'homme qui lui avait fait signe tout à l'heure. Son visage est entièrement dissimulé sous un turban bleu. Elle ne voit que ses yeux, très sombres, qui semblent capter la lumière. Ses yeux immenses se posent sur elle, la fixent intensément. Ses paupières ne cillent pas. Rien ne bouge autour de ces yeux, sous ce front de marbre, sinon le tissu qui cache le visage, ce voile agité par les courants d'air comme un rideau devant une fenêtre béante. Il y a simplement cet infime frémissement sous l'œil droit, qui anime les rides qu'il a au coin des yeux – des rides à peine visibles, dont les plis vont se perdre sous les plis du turban.

Détournant subitement la tête, l'homme s'adresse à une très jeune femme assise en face de lui. Il a une voix étrangement rauque et grave, à la fois caverneuse et vibrante. Émilie ne comprend pas ce qu'il dit. La femme se lève et lui laisse sa place. Une fois encore, Émilie est envahie par la gêne. Aucun des hommes présents ne s'est levé. Elle hésite à accepter... Mais son état de fatigue, la perspective de voyager de longues heures assise par terre, finissent par tarir ses scrupules.

Avant de s'asseoir, Émilie se défait de son sac et le pose dans le filet, au-dessus de sa tête. Personne ne fait le moindre geste pour lui venir en aide.

L'homme continue de la fixer depuis qu'elle s'est assise. Bizarrement, son regard qui perce derrière le tissu ne la met pas mal à l'aise. « Pourquoi porte-t-il ce turban ? s'interroge-t-elle. Par cette chaleur insupportable... » Ce ne peut être un turban sikh. Les Sikhs ne se couvrent pas l'intégralité du visage. Il ressemble plutôt à un Touareg. Toutes les fenêtres du train sont ouvertes. Peut-être cherche-t-il simplement à se protéger du vent et de la poussière.

Un paysage aride défile sous ses yeux, presque au ralenti. Ce train doit être le plus lent du monde... Par moments, des enfants surgis d'on ne sait où semblent s'amuser à faire la course avec lui – puis ils disparaissent comme ils sont venus. On dirait qu'ils s'évaporent dans l'air, dans la lumière blanche du désert, cette blancheur qui contraste singulièrement avec les couleurs ocres qui habillent Madrapour et sa citadelle de sable.

Le désert de Thar est au ras du sol. Une quasiplaine. Du moins cette partie du désert que le train franchit si lentement, si péniblement, comme s'il était lui-même gagné par la torpeur, comme si la chaleur épuisait la machine tout autant que les hommes. Personne ne parle dans le compartiment. Tous contemplent le paysage comme du haut d'un toit, comme s'ils marchaient sur des échasses à côté du train qui les traîne.

Elle sent toujours le regard de l'homme posé sur elle comme une main. Son déguisement de Touareg, le désert morne qui défile sous ses yeux lui font traverser le temps à reculons. Elle ferme un instant les paupières pour ne plus rien voir, comme on éteint la lampe pour trouver le sommeil. Le sommeil et le rêve.

Ses pensées l'emmènent dans le Hoggar, près de Tamanrasset. Cinq ans déjà. Aucun lieu, jusque-là, ne lui avait paru plus beau que cette partie du Sahara. Et aucun endroit au monde ne lui a paru plus beau depuis lors.

C'était à Alger qu'elle avait rencontré Simon. Ils travaillaient tous deux au centre culturel français. Ce voyage dans le désert était le tout premier qu'ils effectuaient ensemble.

Le Sahara est sans cesse changeant. Les dunes se transforment en rochers, les rochers en montagnes, et les montagnes se brisent brusquement sur une plaine ondulée. Elle s'était imaginé le désert dépourvu de végétation, hormis quelques oasis. Mais non. Elle se souvient d'arbres tordus, rencontrés çà et là dans les sables, uniques et solitaires, le tronc comme écorché par l'aridité du milieu. Leur forme torturée semblait vouloir montrer qu'ils s'arrachaient de terre dans la douleur, et le crier au monde. Parfois, il y avait ces fleurs rouges aussi, surgies à même les rochers comme des roses des sables.

La nuit tombait d'un seul coup, vers sept heures. Et c'était vraiment la nuit noire. Puis les étoiles apparaissaient, s'allumaient toutes en même temps – une multitude d'étoiles. Jamais elle n'avait imaginé qu'elles pussent être si nombreuses, ni que le ciel fût assez vaste pour les contenir toutes. Puis, vers dix heures, la lune se levait à l'horizon, traversait lentement le ciel pour se planter juste au milieu. Elle aspirait dans son halo les étoiles une à une au fur et à mesure de sa progression. Les étoiles s'éteignaient, le ciel devenait bleu ecchymose, et l'on voyait alors presque comme en plein jour. La lune rendait une ombre aux hommes et aux choses, aux arbres solitaires qui se profilaient au lointain, là-bas, très loin sur la plaine. La lumière de la lune se réfléchissait sur le sable comme sur de la neige.

Depuis, c'était dans un autre désert qu'elle s'était établie. Depuis, Simon l'avait quittée. C'était il y a quelques mois à peine, au tout début de sa grossesse. Il était rentré en France comme l'on fuit. Elle avait tenu à rester dans ce pays-ci le plus longtemps possible. Elle était partie depuis tant d'années que personne ne l'attendait plus vraiment. Ni famille, ni amant.

Et puis, elle aimait Madrapour, ville perdue dans les sables. Il lui fallait rentrer à son tour, pour cet enfant à naître. L'enfant qui poussait dans son ventre comme l'arbre du désert.

L'homme la fixe toujours. Elle soutient un instant ce regard noir, étrangement lumineux. Décidément, son regard n'a rien de malsain. Son immobilité même est rassurante. Pour elle, à cet instant, il est l'unique point fixe dans le monde en mouvement, dans le paysage animé, dans les balancements irréguliers du train.

Elle se sent attirée par cet homme au regard saillant, au visage masqué. Pour cacher son trouble, elle ouvre le livre qu'elle tient contre son ventre. Mais elle ne parvient pas à se concentrer. Ses yeux se forcent à suivre les lignes pour ne pas regarder ailleurs, mais son cerveau, comme anesthésié, n'enregistre rien de sa lecture. Les mots lui échappent, se font liquides comme l'eau glissant entre les doigts quand on essaie de boire dans la paume de sa main. Elle perd le sens des mots. Ses yeux glissent sur les lignes sans s'y accrocher, comme un train qui déraille.

Elle lève la tête malgré elle, croise un bref instant les yeux noirs de l'homme en face d'elle, puis tente à nouveau, vainement, de retourner à son livre. Elle feint de regarder dehors. Elle l'aperçoit du coin de l'œil, puis le devine encore quand, d'un infime détour, son regard se replie sur les pages imprimées. Elle ne sait plus désormais si ses yeux retiennent tant son attention uniquement parce qu'elle ne voit pas le reste du visage.

On dirait que le regard de l'homme la perce, la vrille et la déchiffre. On dirait qu'il cherche à comprendre ce qu'un aveugle décrypterait avec les doigts. Elle sent ses yeux descendre à présent sur son ventre, sur ses hanches, puis remonter vers sa poitrine. Le foulard qui enveloppe sa tête semble vibrer sous l'effet de son souffle. Il y a comme de la tendresse dans ses yeux.

Elle a fini par s'assoupir, par céder aux bercements du train. Un brusque ralentissement la fait sursauter. Elle regarde autour d'elle. Le jour commence à décliner. Les ombres s'allongent et s'inclinent lentement vers l'est, dans la direction que prend le train, comme pour lui montrer le chemin.

L'homme s'est endormi lui aussi. Son turban s'est desserré sous les mouvements conjugués du train, des rafales de vent qui s'engouffrent par les fenêtres grandes ouvertes, de son souffle qui tend le tissu sur sa bouche comme une membrane sur le point d'éclater.

Elle attend, tous les sens en éveil. Elle voudrait que le vent se renforce, que la respiration de l'homme se fasse plus profonde, que le train accélère comme le temps à chaque fois que l'on se sent exister plus intensément... Déjà, le nœud qui tenait le turban ajusté sur le visage de l'homme s'est défait sur sa gorge... Elle attend... Le tissu lentement se soulève, se gonfle comme une voile et glisse sur l'épaule... Elle attend, fascinée. Elle a chaud en dépit du courant d'air qui lui arrive en plein visage, poussant ses cheveux dans ses yeux, obstruant son regard. Elle a un geste de la main pour les relever, pour mieux voir... Le train freine et s'incline pour négocier un virage, la tête de l'homme bascule en avant, puis est rejetée en arrière lorsque la machine reprend de la vitesse – sa tête roule sur le dossier de son siège, une bourrasque de vent chasse le tissu sur le côté, et le voile tombe comme un rideau qui s'ouvre sur le visage à découvert...

Un cri lui vient du profond des entrailles. Bousculant son voisin, Émilie se précipite vers la fenêtre pour vomir – vomir tout ce qu'elle a dans le ventre, éclaboussant les autres voyageurs. Elle n'a pas eu le temps d'arriver à la vitre. Son estomac se soulève une dernière fois. Le vent rabat ses cheveux dans ses yeux... Elle ne voit plus rien, ne sent plus rien, sinon ses haut-le-cœur qui lui déchirent le ventre...

Quand elle se retourne enfin, l'homme sans visage a disparu.

Tous les matins, elle croisait non loin de chez elle un vieux couple de lépreux. La vieille femme poussait sur un chariot un aveugle sans mains ni pieds (c'était pire qu'un regard d'aveugle : ses orbites étaient vides, démesurément vides). L'homme tendait la chair rongée de ses moignons vers le ciel en implorant la charité. L'un et l'autre n'avaient plus ni nez ni lèvres, comme si les os de leur crâne avaient poussé sous la peau à vif, pour la faire éclater. Ils passaient entre les voitures arrêtées au croisement en quémandant quelques roupies. Le plus souvent, personne ne leur prêtait la moindre attention. Sans doute finiraient-ils, comme bon nombre de leurs semblables, écrasés par un camion ou par un bus.

Il n'y avait pas d'autre chemin pour se rendre à son travail. Et chaque matin, la même scène lui soulevait le cœur. À chaque fois, elle se sentait au bord de la nausée. Jamais elle n'avait pu s'y faire.

Cet homme-là n'était pas lépreux. On aurait dit qu'il avait eu le bas du visage arraché dans un accident. Sa figure n'était plus qu'un immense orifice. Plus de nez ni de bouche. Juste un trou qui descendait jusqu'à la gorge. Un trou et quelques dents très blanches au milieu. Un sourire de tête de mort, déjà. Juste des yeux et un regard.

Il avait disparu. Touareg retournant au désert. Peut-être avait-il aussi l'âme creuse des fantômes.

*

Les yeux de l'homme – ses yeux sans visage autour – la poursuivirent durant les semaines suivantes, jusqu'au terme de sa grossesse. Ce regard constituait un sujet permanent d'inquiétude et d'angoisse. Une peur confuse l'habitait. Dieu sait pourquoi, celle-ci s'accrut encore quand on lui apprit qu'elle attendait des jumeaux. Elle refusa pourtant tout examen prénatal, fût-ce une échographie.

Elle accoucha dans la ville où elle avait grandi. L'un des enfants était mort-né.

– Je veux voir mon bébé...

– Vous le verrez plus tard, répondit l'infirmière, il est en salle de soins... Il faut que vous vous reposiez, ajouta-t-elle d'une voix douce, en remontant le drap sur sa poitrine.

Que se passait-il ? Pourquoi n'avait-elle pas pu voir encore l'enfant qui lui restait ?... L'inquiétude lui tordait le cœur. Elle tenta de trouver refuge dans le sommeil.

Lorsqu'elle se réveilla, un homme était à ses côtés.

– Je suis le docteur Masson, dit l'homme. Je suis psychiatre... Malheureusement, je n'ai pas de bonnes nouvelles pour vous, poursuivit-il après une brève hésitation. Votre enfant est atteint d'une malformation, mais il vivra...

Émilie ne put retenir ses larmes.

– Vous allez vivre des instants difficiles, dit encore le médecin. Votre enfant...

– Quel genre de malformation ? demanda-t-elle dans un sanglot.

– Au visage, répondit le médecin. C'est une malformation du visage... Mais rien n'est irrémédiable... La chirurgie aujourd'hui....

Émilie n'entendit pas la suite. Elle s'arrêta d'entendre.

– Je voudrais savoir, docteur, dit-elle après un instant... L'autre enfant... Avait-il la même... ? Je veux dire, était-il défiguré, lui aussi ?

Le médecin parut embarrassé par sa question. Il hésita une nouvelle fois avant de répondre :

– Non... Non, il était parfaitement constitué.

Au-dehors, un vent d'orage secouait les branches des tilleuls.

Il faisait chaud. La chambre donnait sur la gare. On entendait distinctement, à intervalles réguliers, comme apporté par le vent, le roulement des trains de voyageurs qui glissaient sur les rails. Elle demanda qu'on ferme la fenêtre.

– Et les rideaux, s'il vous plaît. Il y a trop de lumière.

*

Quand on lui amena l'enfant, le lendemain, il

avait les yeux grands ouverts, qui la fixaient étrangement – de ce regard qu'on a parfois quand on croit reconnaître quelqu'un. Quelqu'un qu'on aurait déjà croisé quelque part, mais sans bien savoir où.

(Le soleil ne s'est pas levé ce matin)

« Le firmament se meut, les astres font leur cours,
Le soleil nous luit tous les jours,
Tous les jours sa clarté succède à l'ombre noire,
Sans que nous en puissions autre chose inférer
Que la nécessité de luire et d'éclairer [...]. »

Jean de la Fontaine.

« Or, du fond de la nuit, nous témoignons encore
De la splendeur du jour et de tous ses présents.
Si nous ne dormons pas c'est pour guetter l'aurore
Qui prouvera qu'enfin nous vivons au présent. »

Robert Desnos, *Demain.*

Les matins d'été, j'aime observer le ciel quand l'aube s'apprête à poindre. C'est l'heure où je sors fumer une cigarette sur le perron, la toute première de la journée, la dernière de la nuit. J'écoute les bruits du jour naissant, les oiseaux qui se mettent à chanter dans les branches. Leurs gazouillis s'amplifient à mesure que l'ombre recule, jusqu'à devenir presque assourdissants.

Un éclair de chaleur a traversé le ciel de part en part comme une étoile filante, ou comme une aurore boréale qui aurait perdu son chemin, et tous les chants d'oiseaux se sont tus subitement. J'ai enfoncé mon mégot dans le sable du cendrier. La fraîcheur matinale fait trembler mes doigts.

Le soleil ne s'est pas levé ce matin.

*

Un grand parc de trois hectares entoure l'hôpital, un ancien hôtel particulier du XVIIIe siècle. On y dénombre plusieurs dizaines de cèdres, des chênes centenaires, un baobab, des bouleaux et des espèces rares que je ne connais pas. Jusqu'en 1936, cette vaste demeure abritait un jardin botanique composé, pour l'essentiel, de plantes exotiques. Puis les généreux donateurs et les mécènes se sont retirés un à un. La demeure a été laissée à l'abandon. La friche a peu à peu remplacé les jardins, et la forêt a gagné du terrain. Pendant la guerre, la bâtisse a été réquisitionnée pour servir d'hôpital militaire de transit, par les Allemands d'abord, puis, après le débarquement, par les forces alliées. À la Libération, on y a installé, provisoirement, les malades atteints de pathologies psychiatriques lourdes, du moins les quelques survivants de « l'asile » qui, situé non loin de là, avait été détruit par un bombardement.

Je suis infirmier psychiatrique, et depuis bientôt deux ans, je travaille quatre nuits par semaine dans cette ancienne bâtisse qui ne semble pas avoir connu la moindre rénovation depuis 1936.

Le soleil ne s'est pas levé ce matin. Bizarrement, le seul qui paraissait en être affecté était le vieux Victor, de la chambre 2.

Victor est le plus vieux et le plus ancien de nos pensionnaires : il n'a pas quitté l'enceinte du parc depuis 1944. Engagé dans la Résistance, il a été gravement blessé à la tête lors d'une opération de sabotage menée contre des voies ferrées. D'abord caché, puis soigné dans l'hôpital militaire, son état de santé n'avait pas permis son transfert. Il semble avoir été oublié là quand l'hôpital est devenu un « asile » provisoire.

Victor ne parle quasiment pas. Et quand d'aventure il discourt, ses paroles n'expriment que la fureur des hommes. Les seuls souvenirs qui lui restent sont ceux de ses vingt-deux ans, qu'un éclat de grenade semble avoir enfoncés plus profondément dans son crâne.

Ce matin, Victor a surgi dans la salle de garde comme un diable de sa boîte, tonitruant, hurlant des paroles incompréhensibles. Il s'en est pris à Mathilde, qu'il a saisie par les cheveux. Il l'a jetée violemment par terre. Nous nous sommes tous précipités pour tenter de le maîtriser, mais c'était incroyable la force que ce petit bout d'octogénaire pouvait déployer. Pour finir, il nous a fallu l'attacher sur son lit et lui administrer un puissant sédatif : mais le médicament semblait de peu d'effet tant sa rage était grande.

Pauvre Victor. C'est le plus doux de nos pensionnaires pourtant. Selon Lorenzo, mon collègue, il aurait déjà eu une crise semblable à celleci, il y a tout juste deux ans, peu de temps avant que je n'entre en fonction. « Dans deux jours, hurlait-il, ce sera la fin du monde, l'apocalypse, le chaos, les ténèbres éternelles ! Le Jugement dernier est sur le point d'advenir ! Il faut prier, prier encore pour tenter de fléchir la volonté divine !... » Son délire était tel que, comme tout à l'heure, il avait fallu l'enfermer dans sa chambre, l'attacher sur son lit pour le protéger de luimême, et protéger les autres pensionnaires de sa violente exaltation... Impossible alors de le faire boire ni manger deux jours durant. Il s'était enfoncé dans une torpeur qui l'avait anéanti. Pendant deux jours entiers, ses lèvres n'avaient cessé de psalmodier des mots vides de sens.

Le matin du troisième jour, il s'est subitement calmé dès les premières lueurs de l'aube. Lorenzo lui aurait lancé en rentrant dans sa chambre :

– Tu vois bien, Victor, ta prédiction ne s'est pas réalisée. Il n'y a pas eu de fin du monde.

– C'est parce que j'ai prié, aurait-il murmuré dans un souffle.

En racontant cette histoire, Lorenzo riait comme s'il s'agissait d'une bonne blague. Je ne sais pas si cette histoire est vraie ou non. Généralement, j'accueille les récits de Lorenzo avec la plus extrême réserve. Il a une tendance naturelle à l'exagération (son tempérament méditerranéen sans doute...).

*

Le soleil ne s'est pas levé ce matin. Quand j'ai quitté l'hôpital, vers huit heures trente, les rues qui mènent au centre-ville étaient d'un noir d'encre de Chine. Aucun réverbère n'était allumé. Quelques voitures passaient en trombe, mais les trottoirs étaient déserts. On entendait simplement un concert de klaxons, au loin, et des sirènes hurlant sans discontinuer. Au-dessus des toits, très loin, des faisceaux de projecteurs semblaient vouloir éclairer le ciel. Un hélicoptère a tourné un instant au-dessus des maisons, illuminant les rues avec un phare puissant. Puis l'hélicoptère et son phare se sont éloignés, comme si le pilote avait trouvé ce qu'il cherchait.

Pas une étoile. Jamais je ne m'étais imaginé que la nuit pût être aussi noire. On aurait dit que sa matière se densifiait à mesure qu'elle se rapprochait du sol. On n'y voyait rien. J'ai jugé plus prudent de laisser là ma bicyclette et de rentrer à pied. Il faisait froid pour un mois de juin. De temps à autre, j'éclairais mes pas avec mon briquet. Je me suis dirigé vers les lumières du centre-ville.

Plus je m'approchais de la cathédrale et de l'hôtel de ville, plus le bruit se faisait assourdissant, et plus la lumière se faisait vive. Je croisais de plus en plus de monde aussi. La foule grandissait. Les rues devenaient aussi encombrées qu'un jour de marché.

Sur la place de la cathédrale, des gens couraient dans tous les sens entre les véhicules bloqués ou abandonnés portières béantes. Vêtue d'une minuscule nuisette transparente, une femme était assise contre un mur, jambes ouvertes; prenant soudain sa tête entre ses mains, elle se mit à crier de toute la force de ses poumons, presque à s'étouffer. Debout à côté d'elle, comme galvanisé par ses cris, un homme trépignait devant une voiture de police vide d'occupants, en martelant le capot de ses deux poings. Plus loin, à genoux sur la chaussée, un vieillard se frappait la tête contre le bord du trottoir, avant de s'affaler dans son sang. Une jeune femme s'est approchée de lui; elle a retiré son corsage, l'a roulé en boule et l'a glissé sous la tête de l'agonisant; puis, les seins nus, elle s'est allongée sur le sol en se lovant contre le corps inerte; quelques instants plus tard, elle a léché le sang répandu dans le caniveau. Tout autour de moi, des gens marchaient d'un pas mécanique, l'œil hagard. Certains arrachaient tous leurs vêtements en se lacérant le visage, le ventre et la poitrine avec des tessons de bouteille (quelqu'un avait ridiculement fixé une montre à gousset au lobe de son oreille droite à l'aide d'une épingle à nourrice). D'autres tentaient d'escalader l'échafaudage disposé sur la façade de la cathédrale, comme s'ils voulaient fuir les ténèbres par le haut. À quelques pas de là, près de la fontaine, un groupe d'hommes s'acharnait sur un corps inanimé à coups de câbles électriques d'une violence inouïe...

Une jeune fille nue, à peine sortie de l'adolescence, se jette brusquement sur moi. Comme prise de fureur, elle m'étreint et m'enlace en parcourant mon corps de ses mains. J'essaie de me détacher d'elle, de capter son regard, de comprendre. Mais elle ne me regarde pas. Elle cherche à déboucler ma ceinture en poussant de petits cris aigus et précipités. Elle s'agenouille devant moi. Je tente d'écarter ses doigts qui palpent mon sexe. Elle se dégage violemment d'un mouvement d'épaule, saisit ma main avec force, la plaque contre son sein, contre son sexe lisse et humide. Je voudrais reculer, m'arracher d'elle – du désir brut que j'ai d'elle... Un homme s'avance, le pénis en érection sorti de sa braguette : se détournant de moi, elle se met à le sucer avec avidité. Soudain, perforant l'obscurité et les cris, un marteau au bout d'un bras fracasse la tête de l'homme. Le sang gicle sur les cheveux blonds de la fille. L'homme porte ses deux mains à son crâne. Son corps est agité d'un mouvement de balancier, comme s'il hésitait encore à s'écrouler... Puis il plie les genoux et tombe à la renverse. Le marteau qui prolonge ce bras sans corps continue de s'abattre. Couchée entre les jambes de l'homme, l'adolescente n'a pas lâché le sexe qui lui remplit la bouche, tandis que ses cheveux peignent en rouge le ventre creux comme une vasque baptismale.

Je me détourne pour vomir.

Je ne pensais plus qu'à fuir au plus vite. Pour rentrer chez moi, il me fallait traverser la place. Un homme m'a saisi le poignet. Vêtu uniquement d'un caleçon, il tenait à la main un couteau dont la lame effilée était maculée de sang. J'ai dégagé mon bras. Il a tenté de me retenir et m'a demandé si j'avais vu sa femme. Je lui ai répondu que je ne savais pas, que je ne connaissais pas sa femme.

Au milieu du carrefour, un haut-parleur fixé sur le toit d'une voiture officielle crachotait un message inintelligible. Gyrophares en action et sirènes s'époumonant, des véhicules de pompiers suivis de plusieurs ambulances, pour se dégager des encombrements, poussaient et défonçaient les voitures dans des crissements de pneu, des vrombissements de moteur et des craquements de tôle déchiquetée.

Aggravant les embouteillages, des camions sur lesquels d'énormes projecteurs avaient été installés stationnaient au milieu de la rue. Le ronronnement sonore des groupes électrogènes accentuait le bruit assourdissant des sirènes et des klaxons, qui couvraient à peine les clameurs de la foule.

Sur un balcon, au premier étage d'une maison, dans le faisceau d'un projecteur, deux couples forniquaient sans retenue. Sur le trottoir d'en face, un homme se masturbait en les regardant tandis que, gravissant une échelle trop courte, un autre tentait de les rejoindre.

J'essaie de me frayer un passage dans la foule, à travers les corps entassés, hâtivement dévêtus – tous ces corps qui semblent se hâter de vivre encore, et d'avoir du plaisir, à la seule fin de surmonter leur angoisse de la mort.

Mais mourir à la vie n'est pas ce qu'il y a de plus terrifiant.

Je ne pensais plus qu'à fuir ces scènes de violence, de sexe et de démence collective. Le monde était devenu fou. C'était comme si tous les pensionnaires s'étaient subitement échappés de « l'asile » pour faire écho à la Bible, qui commande aux humains de croître et de multiplier...

Étrangement, il n'y avait aucun enfant dans cette foule compacte. Où donc étaient-ils ?

*

J'ai traversé la place le plus vite que j'ai pu pour échapper à cette mécanique de terreur, à ce magma de corps déshumanisés, à ce conglomérat de tôles, à la lumière trop crue, aux cris et aux sirènes rugissantes. Je me suis réfugié dans l'obscurité qui régnait de l'autre côté de la place. Les hurlements se sont éloignés. Machinalement, j'ai fait un léger détour pour gagner la rue de l'Hydre-sans-têtes : j'ai pour habitude, chaque matin, de m'arrêter à la boulangerie, mais elle était fermée ce matin. Le rideau de fer était baissé.

Les cloches de la cathédrale, au lointain, continuaient de sonner, couvrant presque les sirènes dont l'intensité semblait décroître.

J'ai poussé la porte de mon immeuble et j'ai

grimpé l'escalier quatre à quatre. Une ombre a lui sur le palier. J'ai allumé mon briquet pour mieux voir. Mon voisin, affolé, tentait frénétiquement d'introduire sa clef dans la serrure de sa porte. C'est un grand gars d'une trentaine d'années, aux épaules carrées. Il est clerc de notaire, et il a une femme ravissante qui doit accoucher dans un mois. J'ai approché la flamme de mon visage, pour me faire reconnaître de lui. Il s'est retourné brusquement, s'est jeté sur moi en saisissant des deux mains le col de ma veste. Il avait dans les yeux cette lueur d'épouvante que j'ai appris à identifier. Je l'ai repoussé doucement.

– Qu'est-ce qui se passe ? hurla-t-il. Vous savez quelque chose ?

– Je n'en sais pas plus que vous, je crois... C'est peut-être une éclipse...

L'absurdité de cette hypothèse m'est apparue aussitôt. Pour le calmer, j'ai inventé n'importe quoi. J'ai brodé. Je lui ai parlé comme à l'un des pensionnaires. C'est le ton que j'emploie quand je dois apaiser les angoisses d'un patient. L'important alors n'est pas ce qu'on dit, mais la façon de le dire. L'essentiel est de donner un espoir, de fournir une réponse, quelle que soit la réponse. Il faut garder son calme surtout. J'ai dégagé ses mains de mon col avant d'ouvrir ma porte et de rentrer chez moi.

*

Je referme la porte et la verrouille. Je fais fonctionner mon briquet. La roue dentée gratte la pénombre et l'enflamme comme un silex. Je m'approche du placard de la cuisine, pour y prendre une bougie.

J'ai faim. J'ouvre le frigo. L'ampoule s'allume – clignote plusieurs fois puis s'éteint. Je sors du fromage et un reste de jambon d'hier. Je m'assieds à la table et j'allume ma petite radio de voyage, celle qui marche avec des piles. Elle émet d'abord un sifflement aigu, puis des grésillements tandis que je cherche une station. Une voix jaillit. Une voix un peu tendue, qui évoque l'actualité du jour (si je puis dire...).

Les appels au calme alternent avec des tentatives d'explications scientifiques. Un astronome évoque les éruptions solaires, les orages magnétiques, les trous noirs dont la masse est telle que la lumière y est broyée... Troublants trous noirs...

– Est-il possible que le soleil soit sur le point d'imploser, demande un journaliste sur un ton de brusque impatience, que toute son énergie se contracte, se concentre en lui-même, et que son rayonnement se soit réduit à proportion ? Le risque ne serait-il pas qu'il libère cette énergie d'un seul coup, avec une force telle que ce serait la fin du système solaire ?

– Non, non, n'affolons pas les auditeurs... Votre théorie, c'est de la science-fiction...

J'écoute à peine la suite. L'astronome explique ce qui n'a pas pu se passer, mais ne fournit aucune explication à cette nuit sans fin.

– Des hypothèses sont à l'étude, conclut-il, mais il faudra du temps pour les vérifier toutes.

Il faut donc attendre. Je vais dormir un peu.

*

Je me suis réveillé vers quatre heures de

l'après-midi. Il fait toujours nuit. J'ai rallumé la radio.

Une voix monocorde, peut-être enregistrée, invite encore la population à l'apaisement. Sont également commentés les scènes de panique qui ont gagné tout le pays, les suicides collectifs, les pillages. L'état d'urgence a été décrété. L'armée a été appelée en renfort. Les forces de l'ordre sont autorisées à tirer à vue, sans sommation, sur toute personne coupable de vol ou de violence, quelle que soit la gravité des actes commis. Les hôpitaux qui fonctionnent encore, les pompiers, la Croix-Rouge, la protection civile ne parviennent plus à faire face à l'afflux des blessés, au nombre croissant d'infarctus. On explique les gestes à opérer en cas de malaise.

Tout l'appareil productif est paralysé. Les réserves d'énergie sont inexploitables. Les centrales nucléaires ont été mises à l'arrêt, faute de personnel pour assurer la sécurité de leur fonctionnement.

Des embouteillages d'une ampleur méconnue bloquent toutes les routes. Depuis midi, des barrages militaires, à la sortie des villes, interdisent toute circulation. Les aéroports ont été pris d'assaut alors même que les vols ont été suspendus sur l'ensemble du territoire.

La population tout entière cherche à fuir. Mais pour aller où ? De l'autre côté de la Terre pour voir si là-bas le soleil s'est levé, s'il ne brille pas pour quelqu'un quelque part ?

Un couvre-feu entrera en vigueur dès dix-huit heures. La voix radiodiffusée répète plusieurs fois que toute personne rencontrée dans la rue après cette heure limite serait immédiatement abattue.

Il faut que je me dépêche de me préparer. Je dois partir sans plus tarder, ou l'heure sera trop avancée pour aller jusqu'à l'hôpital.

*

J'ai pris une lampe de poche. Il n'y a plus personne dans les rues. Il fait encore plus froid que ce matin. Le silence est total, rompu de temps en temps par des détonations et des sirènes dont le hurlement s'amplifie pour s'amenuiser lentement. La nuit est éclairée par des lueurs d'incendie qui montent de partout dans le ciel. Quelques bâtiments ne sont plus que fumée. Je marche sur des débris de toutes sortes. Je contourne des corps ensanglantés, mutilés; quelques-uns, presque entièrement carbonisés, ne forment plus qu'un amas noirâtre. Une odeur pestilentielle s'élève des décombres, une odeur de bois consumé et de chair brûlée. Les rats qui traversent le rayon lumineux de ma lampe semblent avoir pris possession d'un nouveau territoire.

J'entends soudain un gémissement à ma droite. Le faisceau de ma torche fouille l'obscurité. Une masse informe est agitée de spasmes presque imperceptibles. Je m'approche et m'accroupis près du corps. Les gémissements redoublent dès qu'il a senti ma présence, qu'il a perçu l'effleurement de mes doigts sur son poignet. Le pouls est faible. Sa poitrine ensanglantée est maculée de vomissures. Son visage noir de suie souligne par contraste un filet de sang qui coule de ses lèvres sans discontinuer. Des yeux clairs ont brillé comme un éclair dans la pénombre, puis se sont éteints aussitôt. Je détourne les yeux du visage obscurci. Je soulève avec précaution un pan de sa chemise déchirée. Blessure profonde au niveau du poumon droit. Je ne peux rien faire pour lui venir en aide. Mais je ne peux pas l'abandonner là, et je ne peux pas rester là. Je consulte ma montre à mon poignet. Bientôt six heures. J'éteins ma lampe que je dépose à mes pieds. Puis, de mes deux mains, j'appuie sur son nez et sa bouche, un peu plus fort et un peu plus longtemps qu'il n'est utile. Le corps tout entier se contracte. « Et nous, les os, devenons cendre et poudre. De notre mal personne ne s'en rie; Mais priez Dieu que tous nous veuille absoudre. » Ces mots oubliés, ces vers de je ne sais plus quel poète*, ont surgi du plus profond de ma mémoire, tandis que mes deux mains appuient encore fermement sur sa bouche.

Avant de me relever, je verse une poignée de terre sur sa blessure.

*

La grille de l'hôpital est barricadée. Une chaîne grosse comme mon poing entoure les deux battants. J'éteins ma lampe avant de la glisser dans ma poche, puis je secoue violemment la chaîne contre la porte. Le fracas du métal fait vibrer l'air comme une cloche. Personne ne vient ouvrir. J'attends quelques instants, puis secoue à nouveau la grille, à deux mains, de toutes mes forces, en hurlant et en donnant des coups de pied frénétiques dans le portail. J'appelle encore, je crie.

* François Villon.

Quelqu'un finira bien par m'entendre !...

Un coup de feu claque soudain dans le noir. Je me jette à terre... J'attends... Il ne me vient même pas à l'idée de fuir.

J'entends des pas précipités, puis un rayon lumineux m'aveugle.

– Vous êtes complètement fou ! Vous voulez vous faire tuer ? Vous auriez dû dire que c'était vous plutôt que de hurler comme un sauvage en voulant fracasser cette porte !...

Je reconnais la voix de Maurice Linier, le gardien. Je ne lui réponds pas. Je me demande bien qui de nous deux est le plus fou, ou le plus sauvage. Je me relève en époussetant mes vêtements d'un revers de main. Je ne suis froissé que dans ma dignité. Je sors ma lampe de ma poche. Elle s'est cassée en deux morceaux.

Je ne parviens pas à voir le visage de Linier. Je ne vois que l'ombre de sa main, prolongée par une torche, et le bas de ses bottes poussiéreuses.

– Qu'est-ce que vous voulez ? Vous voulez rentrer ? hurle-t-il.

Sa question me surprend. Bien sûr que je veux rentrer !... Il n'attend pas ma réponse. Sa torche s'éteint. J'entends un cliquetis de clef, puis le claquement de la chaîne qui frappe la grille. Le battant s'ouvre brusquement en grinçant et une main me projette violemment à l'intérieur de l'enceinte, si violemment que j'en perds presque l'équilibre. Le portail claque derrière moi. J'entends la chaîne qui heurte à nouveau le métal, puis le bruit sec du cadenas qu'on verrouille.

J'ai le souffle court. Le faisceau de la lampe réapparait subitement dans la main gauche de Linier. Sa main droite fait un geste vers sa ceinture, et quand il la relève à hauteur de la torche, je vois distinctement un revolver braqué sur moi.

Je n'ai jamais apprécié Maurice Linier, et il me le rend bien. Dans le noir, je ne parviens à distinguer que ses mains et les rangers qu'il ne quitte pas, été comme hiver. Mais je n'ai guère besoin de la lumière du jour pour me remémorer son allure, son attitude antipathique, son visage dur et creusé.

Linier est un petit homme trapu, d'environ soixante-cinq ans. C'est un ancien militaire qui occupe depuis quinze ans le poste de concierge et d'homme à tout faire. Il lui manque deux doigts à la main gauche (un accident de tondeuse à gazon, il y a six ans). Il se déplace en claudiquant. Quand il surprend un regard sur sa jambe raide, il murmure simplement, avec un semblant de sourire : « Les Aurès... » (souvenir de son passage à l'O.A.S., en fait, du moins c'est ce qu'on entend). Le reste du temps, son visage est inexpressif.

Mon silence semble l'embarrasser. J'ai l'impression qu'il veut tirer, qu'il va tirer. Qu'attend-il ? Qu'un geste de défense de ma part lui serve d'alibi ? Des insultes ? Des supplications dont il tirerait orgueil et plaisir ? Des supplications qui lui permettraient de croire qu'il est le plus puissant des hommes à cet instant, puisqu'il est maître de ma vie, puisqu'il se tient du bon côté de l'arme – du bon côté de la lumière ? Je suis à sa merci. Son cœur doit battre à 160 pour alimenter son cerveau, pour tâcher de résoudre le dilemme qui l'habite. Tirer ou non. Qui le saura ? Qui punira son crime ? Sa main se crispe sur la lampe, dont le faisceau se met à trembler légèrement. Je ne dis rien alors qu'il n'attendrait qu'un mot… J'attends qu'il se décide. Pauvre Maurice. Mon calme semble le déconcerter. Peut-être perçoit-il dans mon silence, de façon instinctive, tout le mépris que j'ai pour lui. Il est déjà trop tard. S'il force à présent la gâchette, il saura que j'avais raison.

Il se racle la gorge avant de déclarer, comme pour se justifier :

– J'ai été attaqué cet après-midi. Des dingues ! Ils étaient au moins une vingtaine à vouloir rentrer dans le parc… J'ai tiré dans le tas… Heureusement pour moi, des militaires qui patrouillaient pas loin ont entendu les coups de feu. Ils sont arrivés à ma rescousse presque immédiatement, sinon je n'aurais pas donné cher de ma peau… Eux aussi ont tiré sur ces salopards. Douze sont restés sur le carreau, les autres se sont enfuis… Ils sont là, ajoute-t-il après un silence.

Il détourne sa torche et la braque sur un amoncellement de corps empilés comme des briques. Je détourne la tête, au bord de la nausée.

Je m'éloigne sans un mot. Je sens le regard de Linier dans mon dos, et son arme pointée sur moi. Je perçois à nouveau son hésitation. Je sens que s'il était plus homme, il n'hésiterait pas.

Le monde est devenu fou.

*

Le calme le plus absolu semble régner dans le bâtiment. Les veilleuses de sécurité, sur lesquelles le mot « sortie » est imprimé en blanc sur fond vert, émettent suffisamment de lumière pour me diriger. Je me rends directement au vestiaire. La même lueur blafarde se réfléchit sur les murs blancs. J'aperçois mon visage dans la glace, noir de nuit et de suie. Je reste longtemps sous la douche, j'ai besoin de sentir l'eau glisser sur ma peau, couler dans mon nez, dans ma bouche. Je savonne mes mains avec frénésie, les rince, puis les savonne encore. Je m'enduis le corps de savon avec application.

J'enfile ma tunique blanche d'infirmier. J'emprunte l'escalier pour me rendre au premier étage. Tout paraît très calme. On dirait qu'il n'y a pas âme qui vive. Un havre de paix, un havre de grâce.

À l'étage, dans le couloir, je rencontre Rodrigue Lecœur, le pensionnaire de la chambre 23. C'est un phénomène Rodrigue, et je l'aime bien.

Rodrigue ne marche que d'un pas, un peu comme un échassier, comme s'il n'était pas sûr de vouloir avancer, comme si ses jambes trop maigres lui permettaient à peine de porter le poids de son corps. Il avance d'abord le pied droit, lentement, en remontant très haut le genou, puis place son pied gauche exactement dans l'axe du pied droit. Quand par malheur le pied gauche qu'il traîne après lui n'est pas positionné dans l'alignement de son autre pied, il recule et recommence.

Il faut avoir de la patience avec Rodrigue, car de fait, il avance toujours très lentement, ce qui exaspère certains de mes collègues.

Rodrigue a des yeux très bleus. Et quand il vous regarde, il roule bizarrement les yeux dans ses orbites. On dirait deux petites planètes bleues qui tourneraient autour de Dieu sait quel soleil.

Machinalement, je lui demande s'il se porte bien.

– Seulement si la vie est absurde, murmure-t-il... Les plus beaux rêves que l'on fait sont les rêves éveillés...

Rodrigue répond toujours de la même façon aux questions qu'on lui pose, quelles que soient les questions. Ces deux phrases sont les seules qu'il semble connaître. Lorenzo n'est pas le dernier à s'en amuser.

Dès qu'il l'aperçoit, Lorenzo lui demande : « Rodrigue, as-tu du cœur ? » ; ou encore : « Eh ! Rodrigue ! Et Chimène, tu crois qu'elle rêve de toi ?... » Et Rodrigue de répondre invariablement : « Seulement si la vie est absurde... Les plus beaux rêves que l'on fait sont les rêves éveillés... »

Ces blagues de potache font rire tout le monde. Mais ce soir, les phrases de Rodrigue, son pas et ses mots mécaniques, ses yeux qui roulent comme des billes me mettent mal à l'aise et ne m'arrachent pas un sourire.

*

Je saisis Rodrigue par le bras, et je l'entraîne vers la salle de repos – lentement, avec une lenteur infinie, comme si nous avions, l'un et l'autre, l'éternité de la nuit devant nous.

*

D'habitude, nous regroupons les pensionnaires dans la salle de repos, devant la télévision, en attendant l'heure du coucher. Ce soir, c'est la seule pièce éclairée. Outre les veilleuses, quelques bougies éclaircissent la pénombre. Tous les pensionnaires sont là. Ils semblent bien plus calmes que de coutume. Certains lèvent les yeux vers le plafond, comme si la force conjuguée de leur regard allait pouvoir le transpercer.

J'aperçois Marina, au fond de la salle, près de la fenêtre. Elle a placé une bougie sur la table, dont la lueur se réverbère au milieu de la vitre obscure comme un soleil en réduction. Elle s'occupe des médicaments à distribuer. Je lui fais un signe de la main avant de faire asseoir Rodrigue dans un fauteuil. Elle lève la tête et me sourit. Ah ! Marina...

Marina a un sourire éclatant, qui pourrait illuminer la nuit la plus noire, et même les trous noirs géants... J'ai toujours aimé le sourire de Marina, mais cette nuit plus qu'aucune autre la douceur et la sensualité de son sourire me chavirent le cœur.

Marina est très belle et très blonde, d'une blondeur vénitienne. Son prénom à lui seul a comme un parfum de voyage et de marée montante. Elle a la taille élancée d'une sculpture de Giacometti, mais d'une sculpture plus accomplie, rehaussée de formes voluptueuses. Même la nuit elle a la grâce et l'élégance d'un papillon de jour. Marina est si belle qu'elle pourrait convertir à la monogamie le sultan du harem paré des femmes les plus belles.

Je m'approche de Marina qui me sourit toujours. Et son sourire continue de me faire fondre le cœur (et peut-être aussi celui de Rodrigue qui nous lorgne de son œil rond et mobile...). Je l'embrasse tendrement au coin des lèvres. Sa peau a un parfum d'algue douce. Ma bouche descend jusqu'à son cou. Elle rit, surprise... Son rire me réconforte davantage. J'ai envie de la prendre dans mes bras, de l'enlacer, de la bercer, de la serrer fort contre moi. Et je le fais. J'ai toujours rêvé de le faire. Et rien ce soir ne peut plus m'en empêcher. Elle lève vers moi son regard vert. Elle a, imprimée sur la joue, une fossette que je ne lui connaissais pas. Elle se love plus étroitement contre ma poitrine.

– Il faut que je termine, finit-elle par dire. Ils ont déjà dîné. J'ai fait comme j'ai pu, j'ai improvisé. Il faut encore leur donner leurs médicaments et les emmener se coucher. Nous sommes en retard. Aucun d'entre eux n'a pris ses médicaments aujourd'hui... Nous sommes tout seuls ce soir. Personne d'autre n'est venu. Et Victor est toujours en pleine crise. Heureusement que tous les autres ont une sérénité de gisant, ajoute-t-elle encore avec un sourire rayonnant comme un soleil miniature. – Tu ne trouves pas que c'est étrange ?...

Je l'aide à finir la préparation des médicaments.

Après avoir conduit les pensionnaires dans leurs chambres, main dans la main, nous allons rendre visite à Victor.

Il est encore très agité. Quand nous rentrons dans la pièce, il fixe sur nous des yeux exorbités. Il se met à gigoter dans tous les sens, essaye de libérer ses poignets prisonniers des bracelets de cuir. Il siffle entre ses lèvres je ne sais quel murmure, comme s'il psalmodiait une prière.

*

Je suis dans le bureau de la surveillante. J'ai installé deux bougies devant moi, à gauche et à droite, pour éviter les ombres. J'écris le récit de cette journée sans devenir, pour ne rien oublier. Et une lettre à Marina – Marina qui s'est endormie dans une chambre, nue dans le lit que je viens de quitter. Il ne m'a pas été facile de m'arracher à la douce tiédeur de son corps.

Je ne sais plus quel philosophe a dit qu'il est seulement probable que le jour se lèvera demain. Mais cette probabilité a toujours été proche de la certitude. Elle cède le pas aujourd'hui au fortuit et à l'incertain. Ou peut-être avons-nous atteint la limite de la probabilité mathématique.

Un calme singulier règne dans cette vieille demeure délabrée et humide, comme hors du temps. Je me suis enroulé dans une couverture pour me défendre de ce froid d'hiver. Tout dort, dedans comme dehors. Pas un bruit.

Je jette un œil par la fenêtre. La nuit est noire. Pas une étoile dans le ciel. Rien que le noir à l'infini. Je ne sais pas vraiment ce que j'attends. J'attends que l'heure tourne, bien que l'expression soit impropre : sur le mur, les aiguilles de la grande horloge indiquent cinq heures trente-six depuis ce matin. J'attends. Je fais comme si le jour allait forcément se lever.

J'entends soudain un pas caractéristique dans le couloir. Cette démarche, je la reconnaîtrais entre mille. Je lève la tête. Rodrigue apparaît dans l'encadrement de la porte. Il avance devant la fenêtre et me regarde plus intensément qu'à l'accoutumée : les deux petites planètes bleues roulant comme des vrilles dans ses orbites métalliques paraissent perforer l'espace pour déshabiller mes pensées.

– Et toi, Rodrigue, qu'espères-tu ? lui dis-je, comme pour le taquiner – ou simplement pour entendre une voix familière. Crois-tu que le jour se lèvera demain ? Penses-tu que demain sera un autre jour ?...

– Seulement si le vrai monde est absurde... Les plus beaux rêves que l'on fait sont les rêves éveillés...

Je le regarde. Il sourit. C'est la première fois que je le vois sourire, mais je n'en suis pas surpris. Nos pensionnaires ont des attitudes qui nous sont incompréhensibles. Ce qui nous semble absolument banal – si tant est que la banalité puisse rencontrer l'absolu – peut leur paraître terrifiant, et provoquer en eux l'agitation la plus extrême. L'inverse est tout aussi vrai. Leur vision du monde appartient à une autre réalité. Leur comportement, loin d'être irrationnel, répond à une logique qui leur est propre.

La lune apparaît soudainement à travers la vitre – mais une lune minuscule, qui semble se promener très très loin dans le ciel. Impossible de dire si sa circonvolution l'approche ou l'éloigne de nous...

Rodrigue se tient debout, dans l'angle droit de la fenêtre, le sourire toujours accroché aux lèvres. Ses deux petites planètes bleues se sont mises à tourner plus vite au creux de ses orbites. Comme pour rattraper le temps. On dirait qu'il se moque gentiment de moi... Je ne peux m'empêcher de lui rendre le sourire qu'il me prête.

Au-dessus de sa tête, le balancier de l'horloge a subitement repris son mouvement pendulaire.

Le sursis

« Ne m'attends pas ce soir car la nuit sera noire et blanche. »*

Gérard de Nerval.

Une sirène déchire soudain le silence. L'homme s'entend hurler en tombant de son siège – ou bien c'est la terre qui s'effondre et qui s'ouvre sous lui. Il se relève aussitôt et parcourt la pièce à pas précipités. Il semble chercher quelque chose. Il va dans un sens, dans un autre, rebrousse chemin, revient, repart. (Cette sonnerie agaçante !) On dirait qu'il a peur. Il trébuche, se retient à une chaise, manque de tomber. (D'où provient donc cette stridence ?) Les traits de son visage sont tendus comme un arc. Il heurte violemment un mur, comme pour l'enfoncer. Il sonde la paroi, bras en croix, mains ouvertes. « Trouver la porte, pense-t-il, trouver la porte ! » (Et cette sirène qui ne cesse de se dévider en cris !) Il cherche des yeux un repère, un profil familier. Une lumière misérable luit là-bas. Il se précipite vers elle comme un papillon de nuit... La vitre ! Il s'y cogne avec force. Il ignore s'il a mal. Il ne songe plus qu'à cette clarté. S'il pouvait ouvrir la fenêtre... Il explore rapidement le cadre de la main. Il n'y a pas de poignée. Condamnée ! Elle ne s'ouvrira pas. – Où donc sont ses lunettes ? Il se rue vers la table, parcourt à tâtons la surface lisse.

* Sur un billet écrit la veille de sa mort. – Nerval est retrouvé pendu, un matin, rue de la Vieille-Lanterne.

Et s'il ne voyait plus ? Il abandonne subitement sa recherche. Il faut faire cesser ce vacarme. Il renverse un objet dans sa course, qui tombe à terre avec un fracas de métal. Il doit trouver l'interrupteur... Mais d'abord arrêter cette sonnerie. Il avance les mains au hasard, comme pour la frapper. Arrêter cette sonnerie. ARRÊTER CETTE SONN...

*

La sirène s'est arrêtée comme par invocation. Il est soudain très calme. Mais une sourde anxiété contracte sa mâchoire. Il ferme les yeux puis les rouvre aussitôt. Sa mémoire émerge peu à peu de la confusion. Il a un geste de lassitude, comme pour chasser quelque pensée pénible. Un mauvais rêve. Il s'était endormi.

Il allume la lampe au-dessus de la table. Son visage n'a pas perdu son expression d'effroi.

Il se penche pour ramasser le réveil qu'il a précipité à terre. Le choc en a fixé les chiffres. Avant qu'ils ne s'effacent, que les cristaux liquides ne forment plus qu'une tache, il a le temps de remarquer que la montre indique 3 heures 30 secondes.

Il ne parvient plus à détacher son regard de l'horloge, comme si le cadran brisé réactivait en lui le souvenir... C'était sa septième nuit de garde d'affilée, et il se sentait épuisé. Il savait qu'il ne pourrait plus guère lutter contre le sommeil, qu'il finirait par s'endormir. Il avait réglé la sonnerie sur 3 heures, à tout hasard, afin de ne pas manquer l'heure de la ronde...

3 heures 30 secondes au *réveil*... Trente misé-

rables secondes... Cette demi-minute indiquait, comme en surplus, la durée de son égarement. Il avait toujours eu un réveil difficile, surtout lorsqu'il accumulait la fatigue. Et puis, il n'avait pas le droit de dormir. Le fait de se savoir en faute, la crainte d'être découvert avaient sans doute contribué à la panique qui l'avait saisi quand la sonnerie s'était déclenchée. Il y a six mois, un contrôleur l'avait déjà surpris à somnoler dans son fauteuil. Trois jours plus tard, il recevait une lettre d'avertissement. Si le fait se reproduisait, il ne devait escompter aucune indulgence.

Il est en retard pour la ronde.

*

Il s'assied au bureau, met ses lunettes, puis saisit le registre des rondes, qu'il ouvre au hasard. Il reconnaît son écriture sur la page qu'il prend pour modèle. Il consulte brièvement le rapport établi ce soir-là (une nuit d'été, d'après la date).

La ronde de 3 heures, circuit numéro IV.

Il y avait une ronde à effectuer toutes les deux heures. Chacune avait un parcours spécifique. Tout en sachant quel itinéraire emprunter selon l'heure, il ne se souvenait jamais quel numéro attribuer aux différents circuits. Bien qu'il occupât cette fonction depuis bientôt deux ans, il lui fallait le vérifier encore.

Il feuillette le cahier comme les nuits défilent. Il arrive enfin à la page commencée au début de la nuit (la page avant-dernière, déjà : il ne faudra pas qu'il oublie de demander un registre neuf, demain matin). Puis il note consciencieusement :

« 3h : Ronde, circuit n°IV... »

Il est en retard.

Sur la table, réapparus par miracle, les chiffres du réveil, alignant les zéros, semblent avoir remonté le temps – pour l'annuler.

Il se lève, enfile sa veste. En sortant, il décroche l'horodateur suspendu près de la porte; il regarde distraitement l'heure à son horloge : 2 heures 44. Lui qui se croyait en retard ! Il avait oublié qu'elle retardait de 20 minutes exactement.

Il ferme la porte à clef derrière lui.

*

Dehors, il perçoit le froid de la nuit sans en éprouver la rigueur. Il remonte le col de sa veste, machinalement.

Il marche à travers le brouillard (il y a toujours de la brume ici, été comme hiver, à cause du canal à proximité). L'obscurité s'épaissit. Il ne distingue rien à cinq pas. Il a oublié sa torche, naturellement. Inutile de perdre du temps à retourner la chercher, elle ne lui serait d'aucun secours. Jamais son faisceau ne parviendrait à déchirer cette matière dense et impalpable.

Derrière lui, au-dessus du portail, la clarté d'un réverbère étouffée sous la brume formait une tache orangée suspendue dans le ciel comme un soleil à l'aube. C'était son halo qu'il avait aperçu, tout à l'heure, derrière la vitre. C'était vers cette clarté qu'il avait voulu se précipiter.

Il s'arrête devant un vieux bâtiment de bois. Les *Archives*. Il franchit une volée de marches, déverrouille la porte puis pénètre dans le hangar. Il explore l'obscurité pour trouver l'interrupteur, le fait fonctionner plusieurs fois... Rien. Il n'y a plus de lumière. Il ne s'en étonne même pas. Personne ne vient jamais ici.

La clef qui doit permettre au *mouchard* d'imprimer l'heure de passage est située à l'étage supérieur. Il se remémore le chemin à parcourir. Il emprunte l'escalier, à droite – un escalier gémissant à chaque pas, comme sous l'empire d'une douleur brève et fulgurante. La quatrième marche est brisée. Il faut penser à l'enjamber. Parvenu à l'étage, il prend soin de longer le mur pour gagner le fond de la salle : le sol est encombré d'objets divers, et le plancher ne semble guère d'une résistance éprouvée. Il atteint enfin la clef qui pend au bout d'une chaîne. Pour plus de sûreté, il la tourne deux fois dans l'horodateur.

*

Lorsqu'il redescend l'escalier, il oublie d'éviter la marche défoncée. Il perd subitement l'équilibre, mais se rattrape de justesse à la rampe.

Au moment précis où il manque de tomber, l'incident du réveil lui revient à l'esprit. De nouveau, une sourde angoisse s'empare de lui. Tout à l'heure, il y a quelques minutes à peine, lorsqu'il a rédigé son rapport, d'autres mots que ceux qui lui étaient imposés n'ont-ils pas glissé sous sa plume, comme à son insu ?... Il fait des efforts désespérés pour se souvenir... Car il pressent que par sa main, forçant leur absence à paraître, des mots ont jailli sur le registre comme par inadvertance... Qu'a-t-il bien pu écrire ?... Il ne parvient pas à fixer sa pensée... On dirait que sa conscience a été comme suspendue tandis qu'il écrivait... – Mais non ! C'est impossible ! Son imagination lui joue des tours. Il n'était pas bien réveillé, et il n'a rien écrit d'autre que ce qu'il *sait* avoir écrit... Pourtant son impression est si réelle... Il se revoit le front penché sur le cahier tandis qu'il écrivait... Il semble avoir gravé en lui le geste qu'il était en train d'accomplir, pour l'enfouir immédiatement au plus profond de sa mémoire. Et celle-ci, à présent, ne lui restitue son acte qu'à l'état d'ébauche... C'était comme si ces mots n'avaient jamais existé *autre part* que sur le papier, comme s'il n'avait conservé de son geste de somnambule qu'un contenu informe et vide...

Il semble avoir agi comme ces automates qui n'ont aucune conscience des mouvements que leur mécanisme d'horloge leur fait exécuter. Un court instant, semblable à eux, il a été *sans âme*... Mais peut-être est-il simplement l'objet d'une illusion, un peu comme un jeu de miroirs inverserait l'image et le sujet...

Et puis tout cela n'a aucun sens ! Il n'aurait pas dû s'endormir, voilà tout... Il décide de n'y plus penser et se remet en route. Il doit finir la ronde.

Entre les hangars, les péniches montées sur cales se devinaient à peine. Elles formaient simplement des taches plus obscures que la nuit.

*

Il ne s'était pas rendu compte qu'il était déjà parvenu à l'*Atelier mécanique*. Il ouvre la porte et allume toutes les lampes. Il fait vaguement le tour du bâtiment, jette un coup d'œil formel aux machines sous tension, puis se dirige vers le pilier sur lequel est accrochée la clef de l'horodateur. Un alignement de palettes en obstrue l'accès. Il est contraint de toutes les déplacer pour parvenir jusqu'à la clef. Il descend ensuite au sous-sol, pour vérifier la pression de la chaudière sur un cadran. Il n'y a jamais eu de problème depuis qu'il effectue ce travail, mais il applique scrupuleusement les consignes.

Avant de sortir, il lève la main pour éteindre, et s'aperçoit qu'il saigne légèrement. Il s'est sans doute égratigné en déplaçant les palettes. Il porte son doigt à sa bouche pour éponger le sang, puis tourne le commutateur électrique.

*

Un étrange sentiment de malaise continue de l'habiter. Malgré lui, ses pensées le ramènent toujours à cette peur qui l'a saisi à son réveil... Quand bien même il se tromperait, pourquoi s'imaginer avoir ajouté à la phrase officielle des mots dont il ne se souviendrait plus ?... Et de quoi son angoisse actuelle est-elle donc le symptôme ?... Quoi qu'il en soit, lorsqu'il a pris son stylo, tout à l'heure, il avait forcément recouvré ses esprits. Il avait ouvert le registre et s'était appuyé sur un acte réfléchi pour coordonner par écrit l'heure et le trajet de la ronde. Preuve est donc faite que son acte n'était en rien machinal...

Certaines nuits, quand les ouvriers travaillaient, des projecteurs enveloppaient les bateaux d'une lumière d'incendie. Entre les édifices, leurs silhouettes noires, gigantesques, semblaient surgir d'une Venise fantôme. Parfois, échappées de leurs flancs dans un bruit de tonnerre, des gerbes d'étincelles bleutées montaient au ciel comme un feu d'artifice; parfois, telle une projection de lucioles, les éclairs mauves d'une soudure giclaient très haut sur leurs coques... Émerveillé comme un enfant, il croyait évoluer en quelque monde féerique.

Le brouillard semble sur lui se resserrer d'un tour. Il se sent les jambes comme lestées de plomb subitement, et marche avec difficulté. La fatigue le submerge... S'il s'écoutait, il irait dès à présent se rendre compte des quelques mots qu'il a peut-être écrits... Mais non ! Il doit se maîtriser, garder son calme, ne pas céder à la panique. Il verra bien tout à l'heure. Il doit finir la ronde.

Parfois, les nuits d'hiver, c'était un chien qui hurlait à la mort, qui hurlait à n'en plus finir, jusqu'à l'aube... Ces nuits-là, l'animal quittait son repaire. Et l'on distinguait alors ses traces fraîchement imprimées dans la neige, qui s'arrêtaient soudain, comme celles d'un oiseau qui aurait pris son vol... Ces nuits-là, c'était la peur qui l'accompagnait dans ses rondes – car personne, jamais, n'avait pu voir ce chien redevenu sauvage; et personne ne savait où il se terrait tout le jour.

Il essaie de ne plus réfléchir, de ne plus penser à rien. Il se concentre sur sa marche, met un pied devant l'autre, péniblement. Jamais, durant ses tours de garde, il n'avait éprouvé une telle lassitude. Le vertige l'enroule sur lui-même – et le brouillard à le toucher. Peut-être a-t-il pris froid. Heureusement, c'est sa dernière nuit de veille. Il pourra se reposer les jours suivants. Il a le souffle court et ouvre sa chemise au col, comme pour chercher de l'air, comme pour mieux respirer.

Il doit marcher vers la lumière, et trouver le passage.

Il longe la rampe d'accès au canal, qui permet de lancer les bateaux à flot. Le quai la suit presque jusqu'à son terme, en la surplombant.

Il lui faut trouver le passage, et la serrure inamovible.

Il se dirige vers la troisième et ultime clef, par laquelle sa ronde se termine. Cette pensée le réconforte. Il pourra bientôt regagner la guérite, et s'asseoir enfin. Il tente de presser le pas, pour en finir plus vite... Dans sa hâte, son pied rencontre un obstacle. Il trébuche...

Il avait atteint la limite du quai, fermé par un garde-fou. Au-dessous de la balustrade, une dizaine de mètres plus bas, au niveau de l'eau, un contrefort de pierre, très large, rejoignait la rampe d'accès à son extrémité.

Il essaie de se relever. Il n'y parvient pas. La courroie de l'horodateur qu'il portait en bandoulière lui cisaille la nuque.

Agenouillé, il cherche à tâtons ses lunettes...

En même temps qu'une sirène déchire longuement les ténèbres, il se sent happé par le vide, comme entraîné par une main d'acier...

En un éclair, il se souvient... Son rêve. Et la ronde interdite. Quatre mots dans son rêve. Le sommeil et l'angoisse. Les quatre mots transcrits. Son rêve. C'était cela. Il s'en souvient maintenant. Il marchait. Puis la chute. Et la sirène dans son rêve. Dans sa voix. La sirène. Qui couvre son cri.

Une péniche remontait le canal. Sa sirène hurlait comme un glas. Sur le pont, la lumière d'un phare, qui ne semblait sonder qu'elle-même, égratignait à peine la nuit.

*

On ne retrouva son corps qu'au matin.

Contre sa poitrine, brisé, l'horodateur marquait 3 heures, exactement.

*

La mort du veilleur semblait bien mystérieuse, et l'on s'interrogea longtemps sur les circonstances véritables de l'accident.

Quelques semaines plus tôt, en effet, le garde-fou, sur le quai, avait été démonté afin de faciliter l'accès au canal, où des travaux étaient en cours. Dès le début de l'ouvrage, la ronde numéro IV avait été interdite. La victime ne pouvait l'ignorer. Au reste, il suffisait d'inspecter les bandes de contrôle de l'horodateur, collées dans le registre des rondes, pour constater que l'homme avait scrupuleusement respecté les consignes depuis la modification du parcours*. Alors pourquoi y avait-il dérogé cette nuit-là ?

Malheureusement, on ne put reconstituer les trajets qu'il avait effectués durant les quelques heures précédant le drame, car le boîtier du *mouchard* s'était disloqué dans la chute, et le ruban de papier qu'il contenait avait disparu – comme

---

* L'horodateur (ou *mouchard*) imprimait sur une bande de papier un numéro propre à chaque clef, et à côté de ce numéro, l'heure de passage du rondier. Les différents itinéraires empruntés au cours de la nuit étaient donc aisément repérables.

pour signifier que l'homme de ronde n'était allé *nulle part*. Certes, on retrouva le ruban non loin de là, coincé sous des cordages... Mais il était plus blanc qu'une aile de corbeau albinos. On supposa que la pluie qui tombait depuis l'aube avait effacé les chiffres imprimés par les clefs. Et la marque des heures.

L'énigme demeurait donc entière.

Pourtant, il y avait ces mots étranges dans le registre des rondes – le rapport rédigé de la main même du veilleur de nuit :

« 3h : Ronde, circuit n° IV. *Vers l'inexorable inconnu.* »

L'enquête conclut au suicide.

Lettre à Marina
(Épilogue)

Marina, beau papillon de lune,

Je t'ai raconté cette histoire, il se peut que tu t'en souviennes.

C'était sur un bateau au large des côtes italiennes – ou peut-être des côtes africaines, je ne sais plus exactement.

J'étais sorti fumer sur l'entrepont. C'était au milieu de la nuit. Le pont était éclairé presque comme en plein jour, et il se reflétait sur toute sa longueur dans d'immenses baies vitrées, qui l'illuminaient doublement. Seul un côté du bastingage, sur lequel j'avais pris appui, donnait sur le vide et sur l'obscurité.

Soudain, surgi d'on ne sait où, peut-être de nulle part, ou des confins du monde fini, un oiseau s'est mis à virevolter d'un bout à l'autre du pont, dans des va-et-vient frénétiques. Il montait, descendait dans l'air, se heurtait dans son affolement aux vitres scintillantes comme des miroirs.

Durant de longues minutes, il a continué à danser sa danse compulsive, à tourner autour des néons, se cognant ici aux canots de sauvetage accrochés au plafond comme des paravents – là s'écrasant au sol; et puis recommençant sa folle farandole, il se froissait les ailes contre la balustrade, limite du vide infini, du monde de l'obscurité, où pas la moindre étoile ne se réfléchissait.

L'oiseau s'était perdu dans la lumière artificielle. En quête d'un morceau de jour, d'un tesson de soleil, d'un lambeau de ciel bleu caché derrière la nuit – et perdu comme lui – il fuyait du mauvais côté pour reprendre sa liberté.

Nous portons tous une part d'ombre que nous n'osons pas affronter. Nous nous laissons capter par des lumières inexactes au lieu d'attendre l'aube et le soleil incontestable.

Je voudrais que tu me racontes ce conte pour enfant qui change les papillons de nuit en héliotropes migrateurs. Tu dois connaître le secret du soleil à perpétuité.

Pour avancer à contre-vent, sans l'aide d'une lampe-tempête, pour se tenir debout de toute sa hauteur, espérer attraper un bout de ciel entre ses doigts en levant les deux bras, la seule volonté parfois ne suffit pas. Il faut une autre main, l'angle d'une autre épaule pour achever de nous hisser du bon côté du précipice. Sinon il se pourrait qu'on marche à reculons, qu'on glisse sur son ombre lisse pour retomber plus bas que terre – qu'on tourne sur soi-même comme une toupie dans l'air, comme un oiseau sur l'entrepont, sans pouvoir s'arrêter, hormis après avoir heurté l'angle aigu d'un miroir qu'on aurait pris pour le vrai monde, la coque renversée d'un canot de sauvetage flottant sur un plafond.

Je ne sais si pareille aventure peut advenir aux papillons. Qu'ils soient de nuit ou non.

Table

Collection KholekTh

Contes et nouvelles étranges et fantastiques : un livre, un auteur.

1. **Le passage**, Sylvie Huguet.
2. **Caviardages,** Timothée Rey.
3. **Peuchâtre et Gésirac**, Michel Rullier.
4. **C'est un peu la paix, c'est un peu la guerre,** Jean-Pierre Andrevon.
5. **Mitochondries**, Philippe Bastin.
6. **Que la ténèbre soit !**, Alain Roussel.
7. **Le garçon doré**, André-François Ruaud.
8. **Scribuscules**, Jacques Fuentealba.
9. **La soixante-cinquième case**, Philippe Vidal.
10. **Avec elle**, Sylvie Huguet.
11. **Dans le désert et sous la lune**, Patrice Dupuis.

Achevé d'imprimer en octobre 2011
sur presse rotative numérique par
JOUVE, 1 rue du Docteur Sauvé, 53100 Mayenne

Dépôt légal : octobre 2011
Numéro d'impression : 771730B

Imprimé en France